# 编者的话

当一个儿子问他的画家父亲“你为什么画速写”时，父亲说：“速写是我终身的情侣，是我的艺术生命，是我感悟人生的教科书，是我进入艺术殿堂的基石，是我进行艺术创造时的睡眠，是我存在银行里的支票，是我的私人日记，是我个人性格的写照……”这一席话道出了艺术家对速写的深刻认识。

速写是一种素描，而且是最为精炼的素描。它迅捷、准确、生动地描绘着事物的本质面貌和瞬间变幻的视觉感受。速写是一门视觉艺术，是研习视觉艺术的人终身都需要学习的一门艺术语言，是画家、设计师、建筑师取之不尽的财富，是艺术创作素材的宝库，是艺术家阐释生活、表达情感的工具。大师门采尔，他的手几乎就没有离开过画笔，看戏时连门票都画上了速写。凡成功的画家、设计师都对速写有着深刻的领悟，从他们的速写作品中，我们能感受到内容所释放出来的激情，他们巧妙地运用线、面、体、组织成视觉语言，用最为直接的表现手段，最为简练的表现形式，表达出了形象的深刻内涵。

常听有些人讲后悔没有坚持画速写，而丧失了作为艺术家的先决条件。这提醒着我们这些美术工作者，无论是已经有了成就的画家或设计师，还是即将步入美术设计学院的莘莘学子们，速写是我们的终身朋友，是素描艺术中最直接的、最灵活的表现形式，无论是现在还是将来，速写都 将是我们必须钻研的内容。

学习速写会让人学会思考，养成正确的观察习惯，善于运用有效的表现手段，并且能从多角度、多时空捕捉对象内容，能运用多种技能、工具、材料构筑对艺术及生活的理解，同时也是克服长期课堂素描作业呆板的有效手段之一。目前，国内素描教学由于严格区分光影素描与速写之间的技术关系，形成了一种刻板教条的素描基本功模式，而忽略素描的本质问题，那就是建构正确的思维方式。

本套速写集精选了部分艺术家的不同风格的作品，这些作品都包含了他们对艺术、对生活的独特理解与体验，打破了以往美术院校教学体系中旧的模式，概念性地认为只有长期素描作业才够严谨，而速写是短期作业，难免会有一些概念化，所以大都偏重长期素描作业训练，而忽视速写的训练。我认为速写能有效地培养手、眼、脑协调的写生能力，它的灵活多变性又能生动地表现对象，这是长期素描作业所不能取代的。编辑出版本套速写集的目的在于：要把速写作为学习绘画、设计的必要艺术范畴提出，注重速写的鲜活性特征，帮助学生理解速写的意义，引导学生学会主动地通过速写来培养实践能力，逐渐形成敏锐的艺术感受能力。

这套作品集体现了几位老师在多年教学中积累的速写经验与感悟，希望能给学习速写的人以很好地借鉴。王力老师的作品，体现了他对人物、动物运动规律的理解，几根线条就暗示出了人物性格，表达出了他对动物动势视觉意识，他的电脑速写也是一个大胆的尝试。张文恒老师的作品，以准确的线条支撑起人物的内在结构，表达了自己对人物的理解与感受，充满了情感气息。马成武老师的作品，对人物面部表情刻画尤为生动，深刻地表现了人物的性格，他的聋哑人速写既写意又传神，还富有朝气。王守业老师，他更加关注线在速写中与人物间的对话关系，注重速写的语言趣味和速写的心境倾诉。

李　恒

2004年9月

# 随感

学速写也与大家一样，拼命地去画，渐渐地由不会到会。不敢说到熟了，因为现在还不甚完美。

最初时，如同娃娃学步，趔趔趄趄地往前奔。因受自身条件限制，哭声有过，泪也流过。如今学会走路了，便默默地鼓励自己，不要停下自己的脚步。现在回头来看一看自己的脚印，感觉很欣慰。

如今的条件比较优越，有无数条成功之路摆在你面前，可以学着前辈的样子去做。不怕不会，就怕不学。无论做什么事情，单凭努力是不够的。还要讲究方式方法，画画也如此。

就学画速写而言，不能仅靠眼明手快就可以了，这样也不会画出好的速写。其实速写的过程更多是靠记忆进行默写而完成的。通过大脑的强化记忆，笔下才能不那样地忙乱。

画速写不仅用笔画在纸上，更主要的是记在心里。时间长了，随着阅历的增加，手就相对熟练了。脑海里储存多了，想象力也就随之觉醒了。

速写之所以可称为一门独立的绘画艺术，是因为它具备着自己独特的艺术语言。可以肯定地说，一幅好的速写就是一幅成功的佳作。

画速写不单单是记录客观事物的本体。更主要的是寄寓自我的感情。我不主张刻意地去追求技巧，随心所欲最佳。当然，我现在还没有达到如此镜界，只是找到了一个感觉。

无论做什么事情都要有自信，成功的路就在脚下，只要努力，一定会成功地达到你所追求的目标的。

马成武

2004年8月

速写训练专集系列

# 马成武速写

吉林美术出版社

BRIEF INTRODUCTION OF WRITER

# 作者简介

马成武（穹石）：1958年出生，1980年毕业于通辽市哲盟师范学校（美术班），同年参加教育工作。1996年毕业于哲盟教育学院（美术专业），同年任教于通辽市聋哑学校，从事美术教学至今。中国美术家协会会员。

1985年，荣获“全国优秀特殊教育工作者”称号。

1986年，荣获日本教育版画协会颁发的《马成武先生·聋哑儿童版画贡献》金杯奖。

2001年，荣获内蒙古自治区“中青年德艺双馨文艺家”称号。

2001年，国画《草原秋风动客情》获中国国际科技文化成果博览会书画大展金奖。

2003年，版画《迎亲》参加全国第六届版画展。

2003年，版画《晨风》获全国少儿美术教师优秀作品展最佳奖。

2004年，连环画《马三立》入选全国十届美展。

2004年，版画《阿古拉·风》入选全国十届美展。

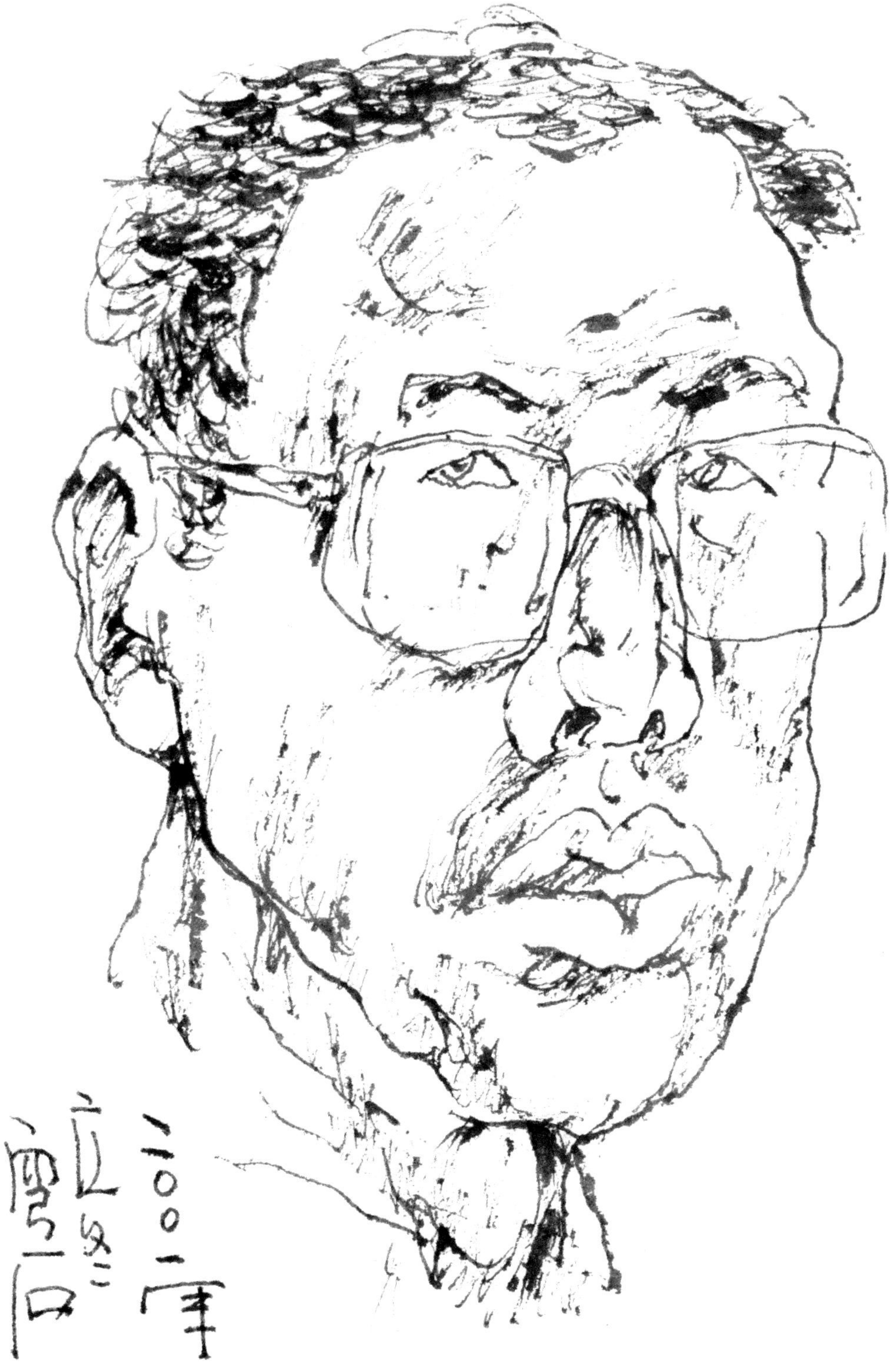
二〇〇一年

二〇〇二年元月

二〇〇二年

速写稿 二〇一 年 月 日

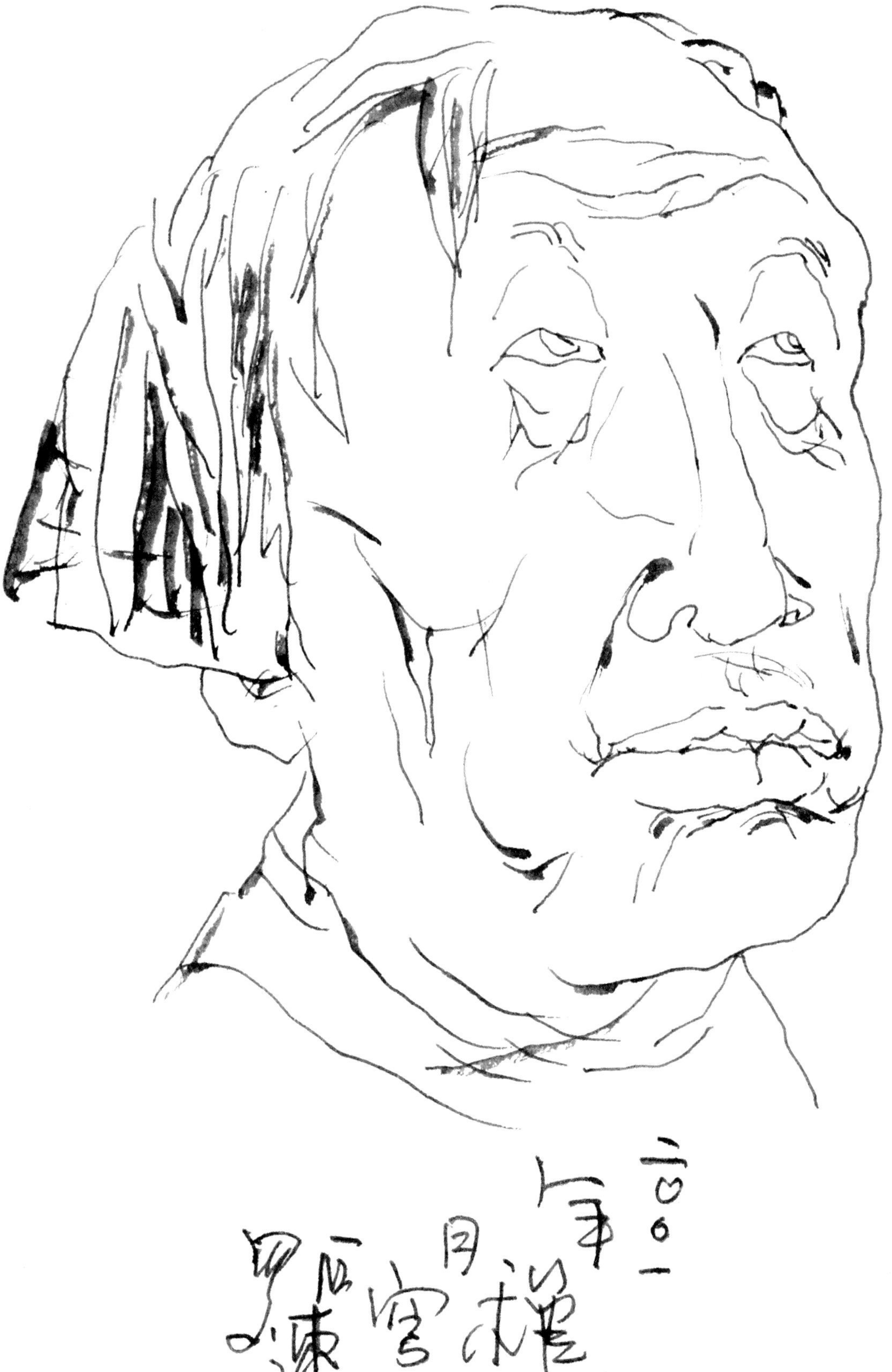

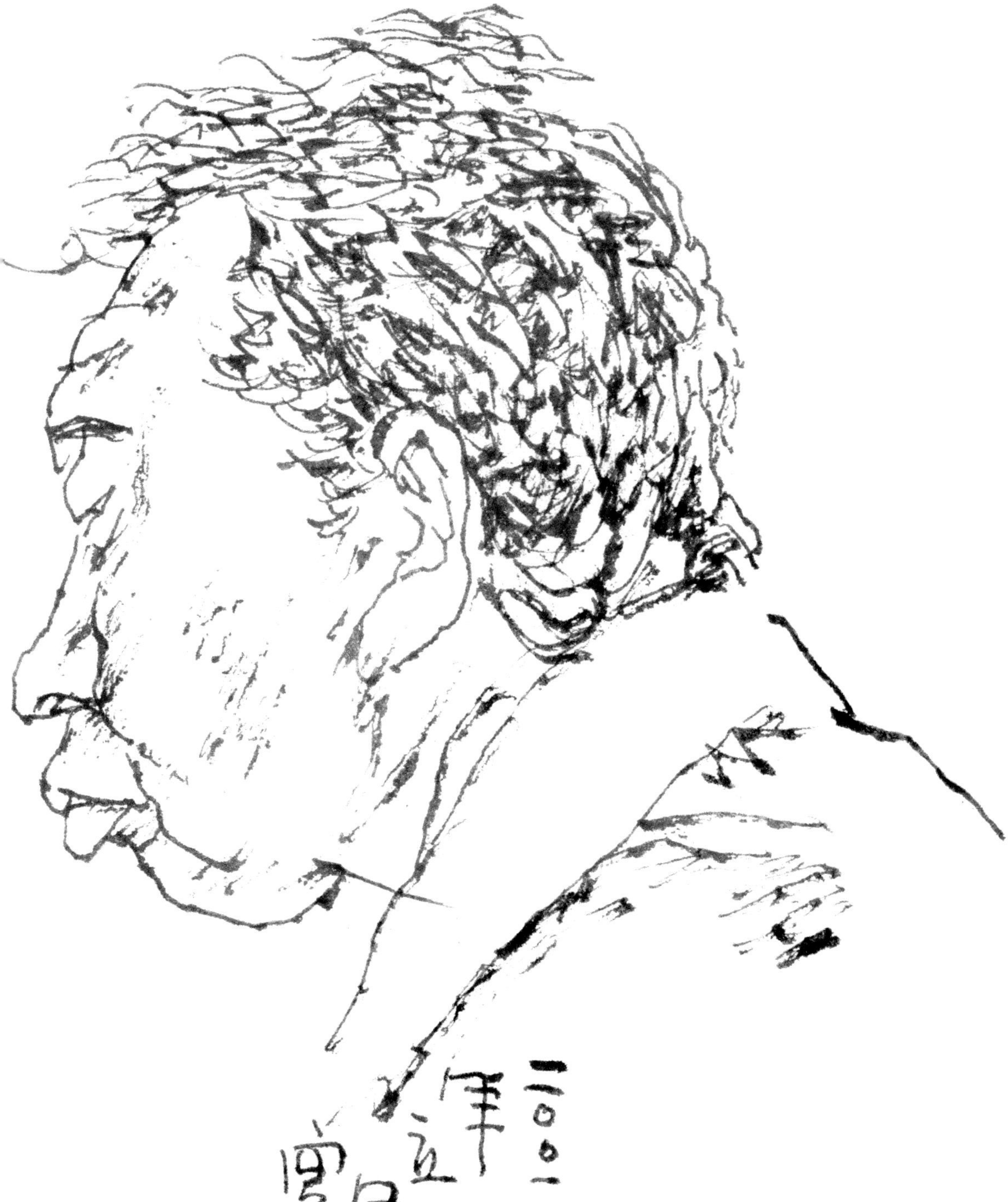
二〇〇一年立冬写

二〇〇二年春写在盲班美术课上
雪石

二〇〇〇年夏
於錫林
郭勒草原
寫石

二〇〇四年元

二〇〇〇年夏於錫林郭勒大草原寫

二〇〇〇年夏
日於錫林郭
勒草原.
写石岡

二〇〇八年
夏白於錫林
郭勒草原
寫石

二〇〇一年孟春
于盲生教室

二〇〇一年秋月
雪石

二〇〇〇年夏寫於錫林郭勒大草原
雪石

二〇〇三年夏
日於錫林
郭勒大
草原
寫

二〇〇一年夏日

二〇〇二年
元月寫石

1999.11.

这是盲人的
习惯动作
二〇〇二年

二〇〇二年八冬

二〇〇一年夏 雪石.

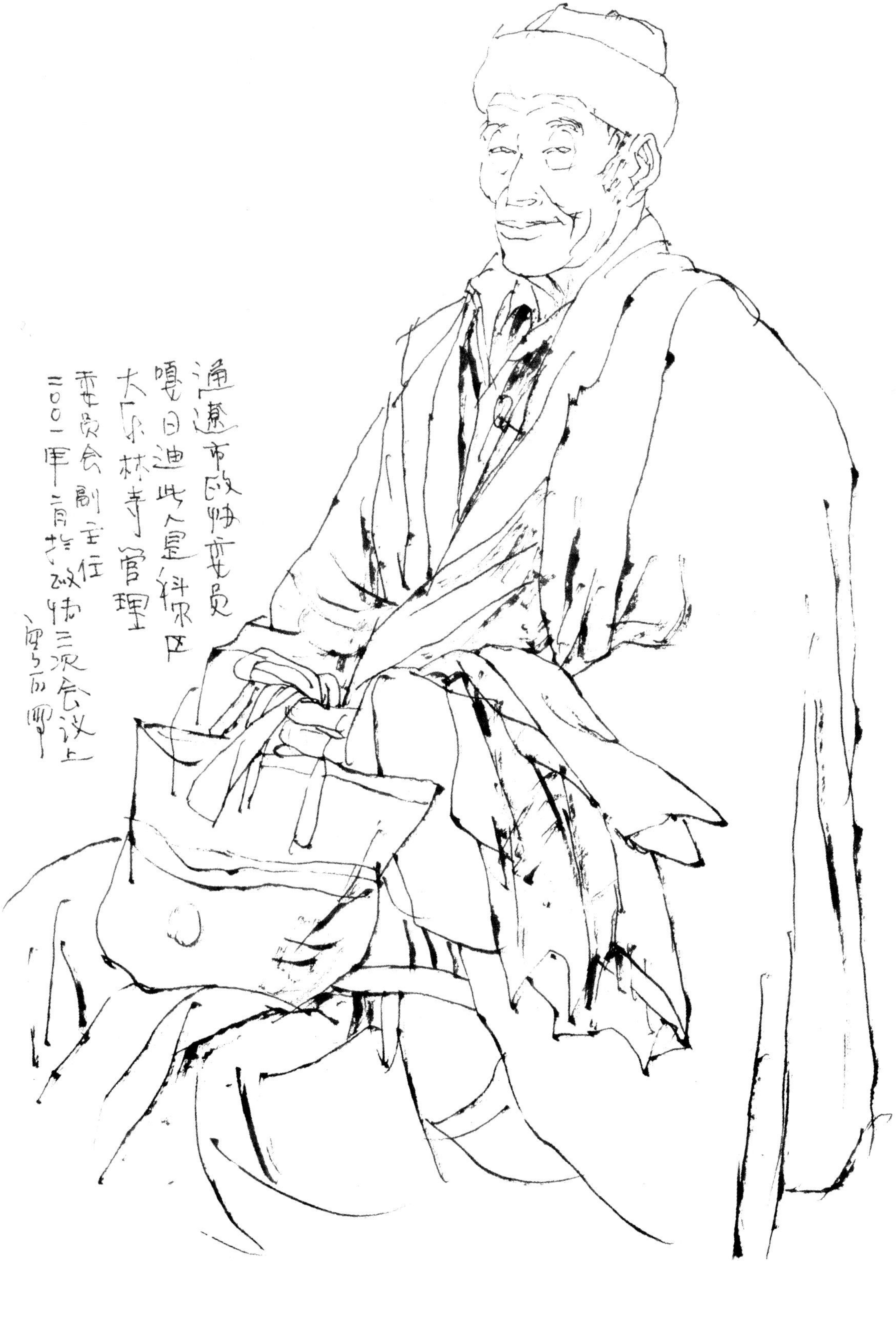
通辽市政协委员
嘎日迪此人是科尔沁区
大乐林寺管理
委员会副主任
二〇〇一年一月于政协三次会议上

二〇〇〇年夏日
寫於錫林郭勒大草原
雲石畫

二〇〇〇年夏

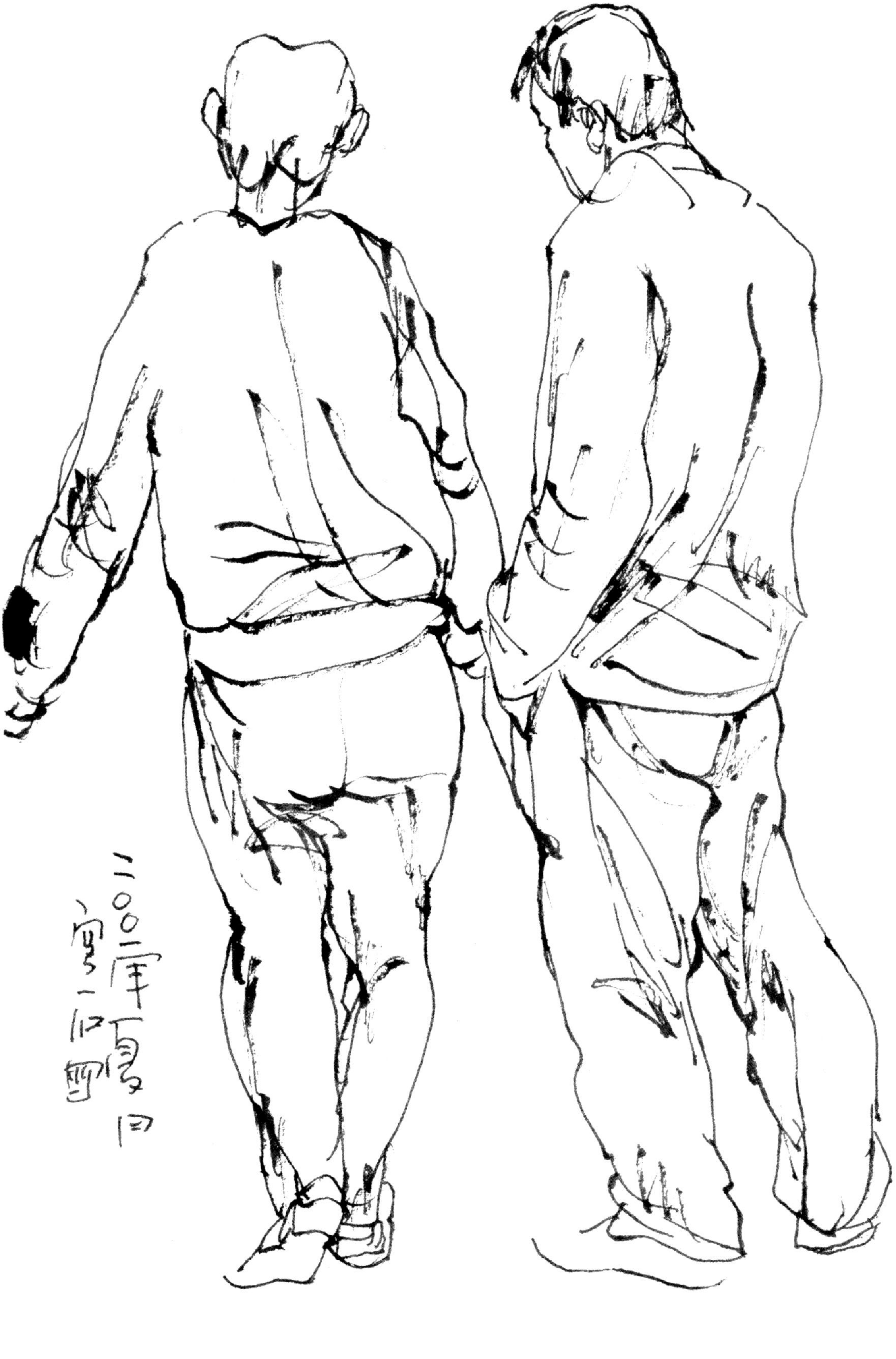
二〇〇二年夏日

二〇〇一年夏日

二〇〇三年
写石

二〇〇三年初春写石

二〇〇三年

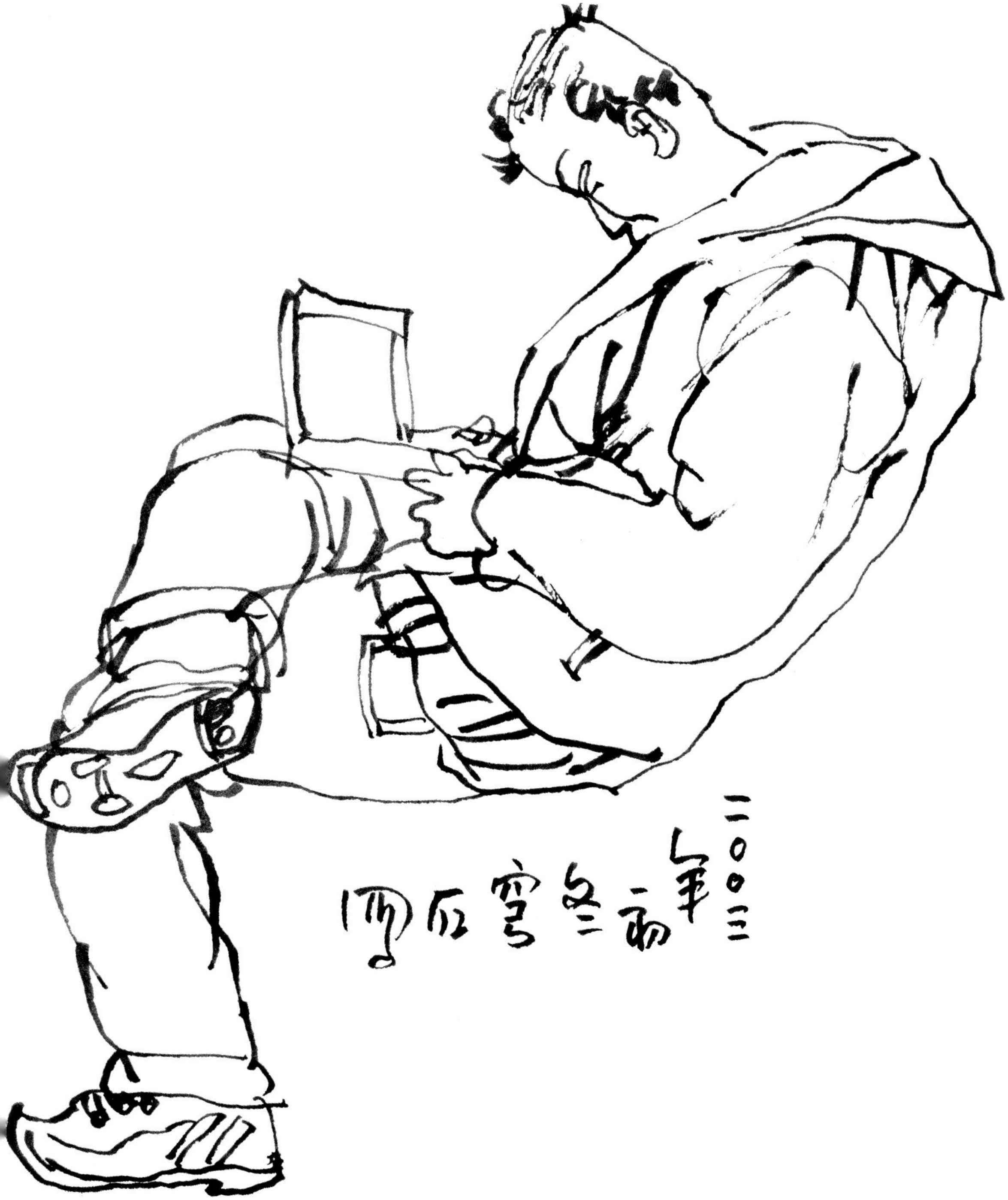
二〇〇三年初冬

二〇〇二年元月

二〇〇八年夏日
写于锡林郭
勒大草原

九九六年四月
於列車上

二〇〇二年秋月

二〇〇二年
元月寫

二〇一〇年夏月
寫於街头

二〇〇一年夏日
石雪

二〇〇三
年初
冬写
石门
于盲生
手工课堂

二〇〇四年元月

二〇〇四年元月雪石写

二〇〇四年元月写石

二〇〇三年五月
雪石

二〇〇三年冬日

二〇〇三年冬日
雪石写

二〇〇四年

元月
雪石
写

二〇〇四年雪石写

修理工
二〇〇四年
元月寫於

二〇〇四年元月

二〇〇四年九月

二〇〇四年元月

二〇〇四年六月

二〇〇年秋月雪石写

八三年三月
于青海塔尔
寺 云石
画.

二000年夏日写於錫林郭勒
大草原 雪石

二〇〇〇年夏時
寫于锡林郭勒大草原

二〇〇〇年夏時寫於錫林郭勒草原、雲戶

写于青海塔尔寺

二〇〇〇年十月廿
艺术团演出的
朝鲜舞姿献给
朝鲜战场的将士
们

二〇〇三年
时夏
雪石
写

二〇〇三年夏日
雲石寫

二〇〇〇年夏日
於錫林郭勒草原寫

生命在于
运动九二年
春日写于
湾仔街边
老人
馬

九三年五月
初七晚時
雪石畫

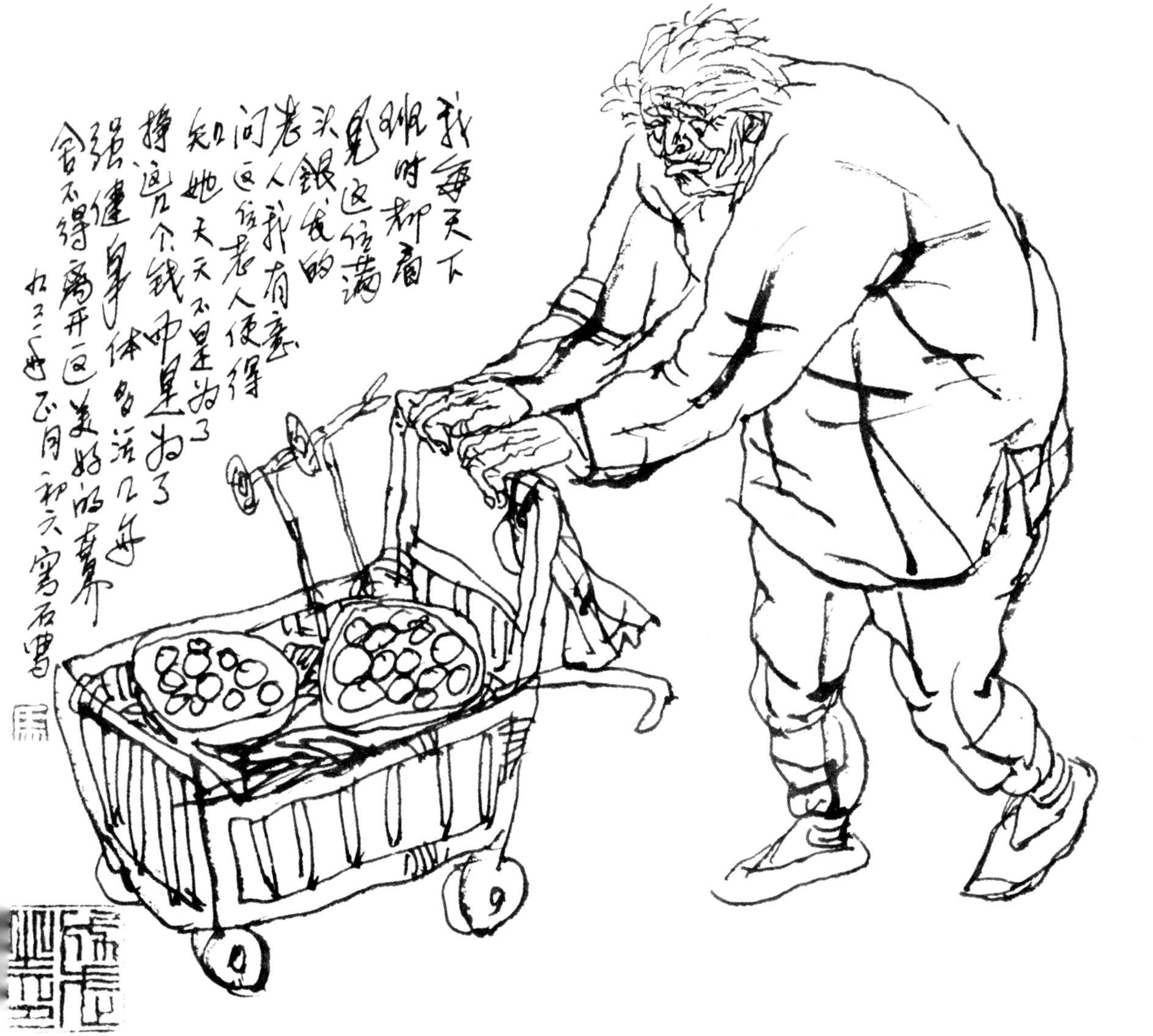
我每天下
班时都看
见这位满
头银发的
老人我有意
问过这位老人便得
知她天天不是为了
挣这几个钱而是为了
强健身体多活几年
舍不得离开这美好的世界
九三年正月初六

于青海
塔尔寺

九三年三月雪石写于青海塔尔寺

九三年三月 青海
塔尔寺

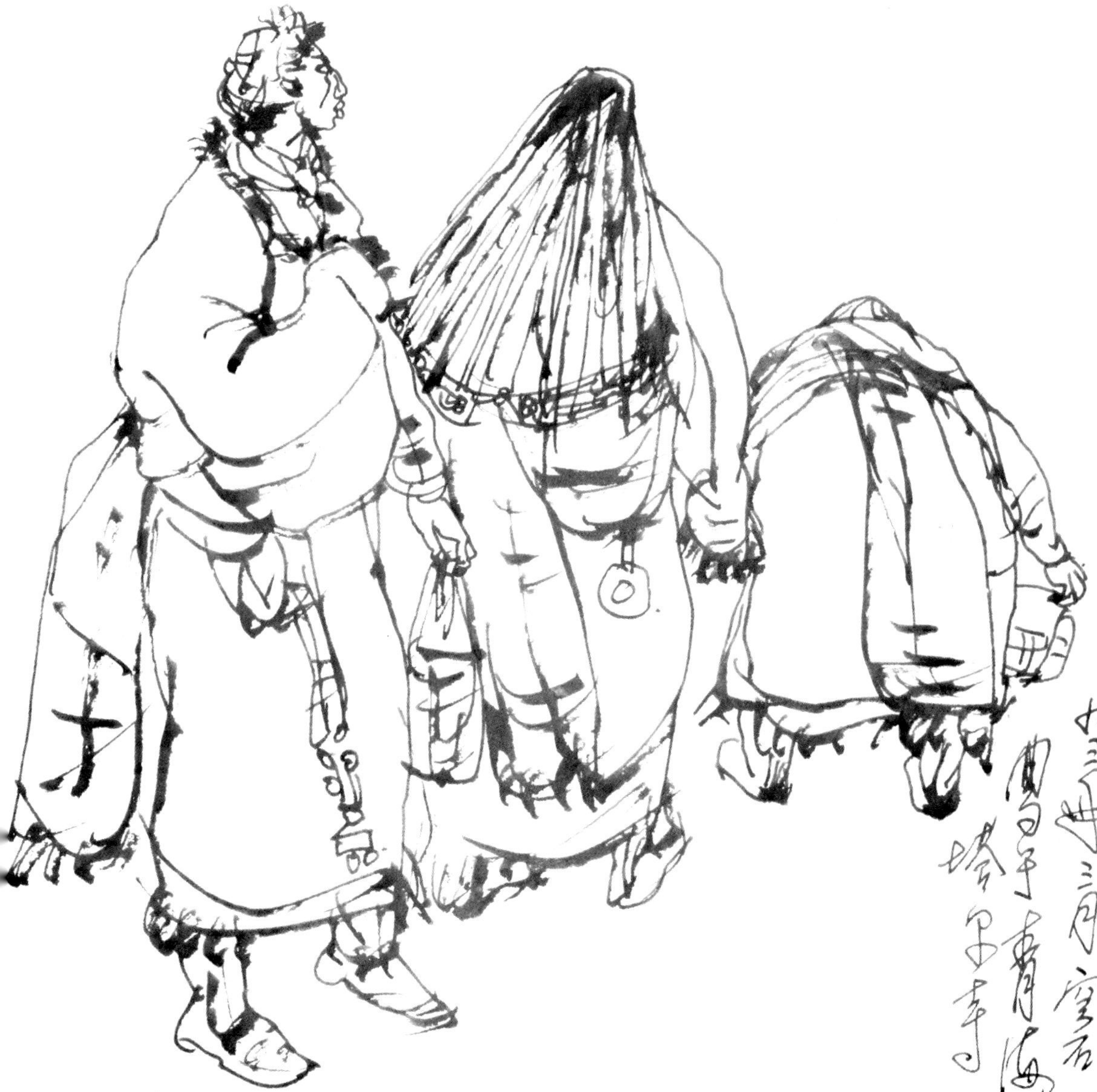

九三年三同 空兄军于
青海塔尔寺

94

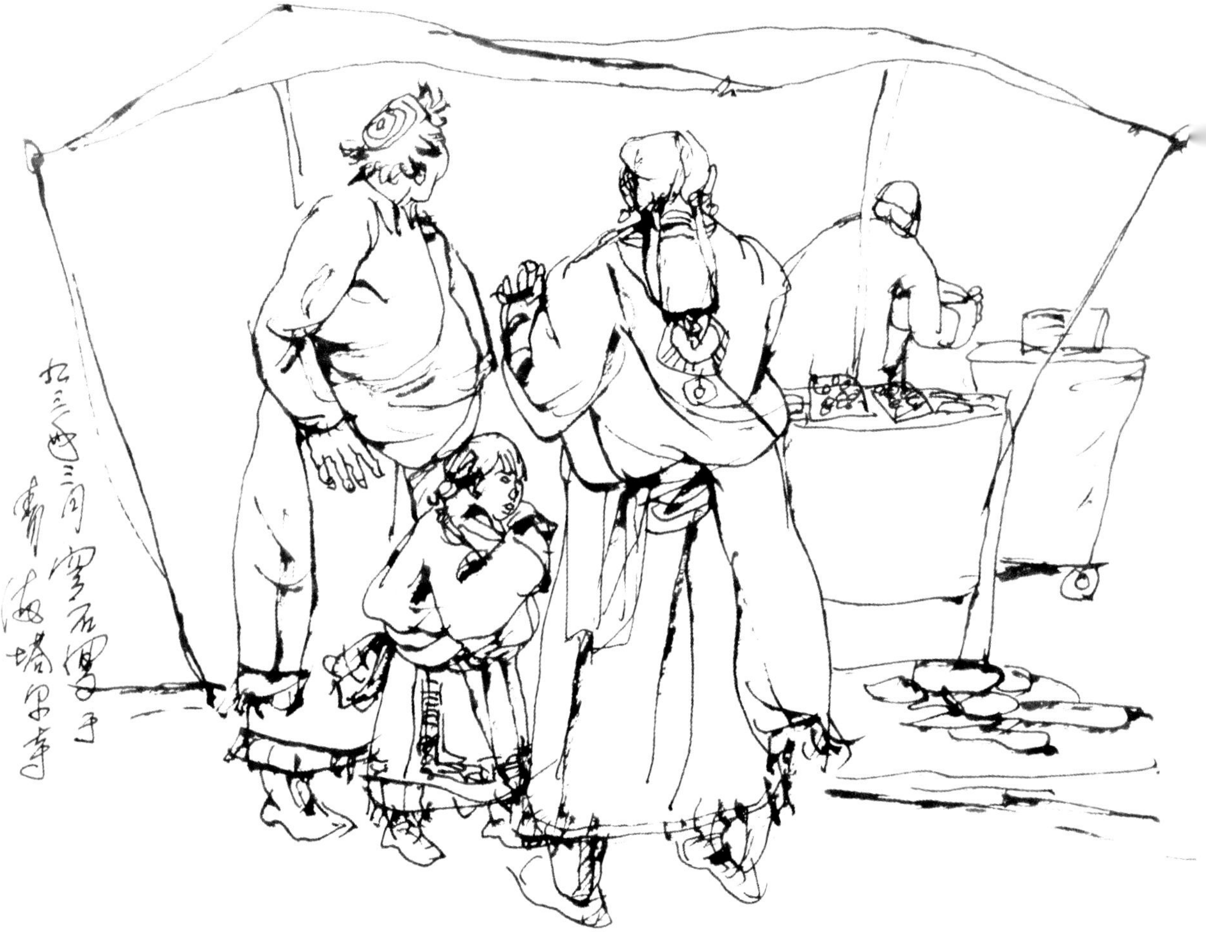

九三年三月

二〇〇〇年夏日寫於錫林郭勒大草原
石寧

二〇〇〇年夏日於錫林
郭勒大草原
寫

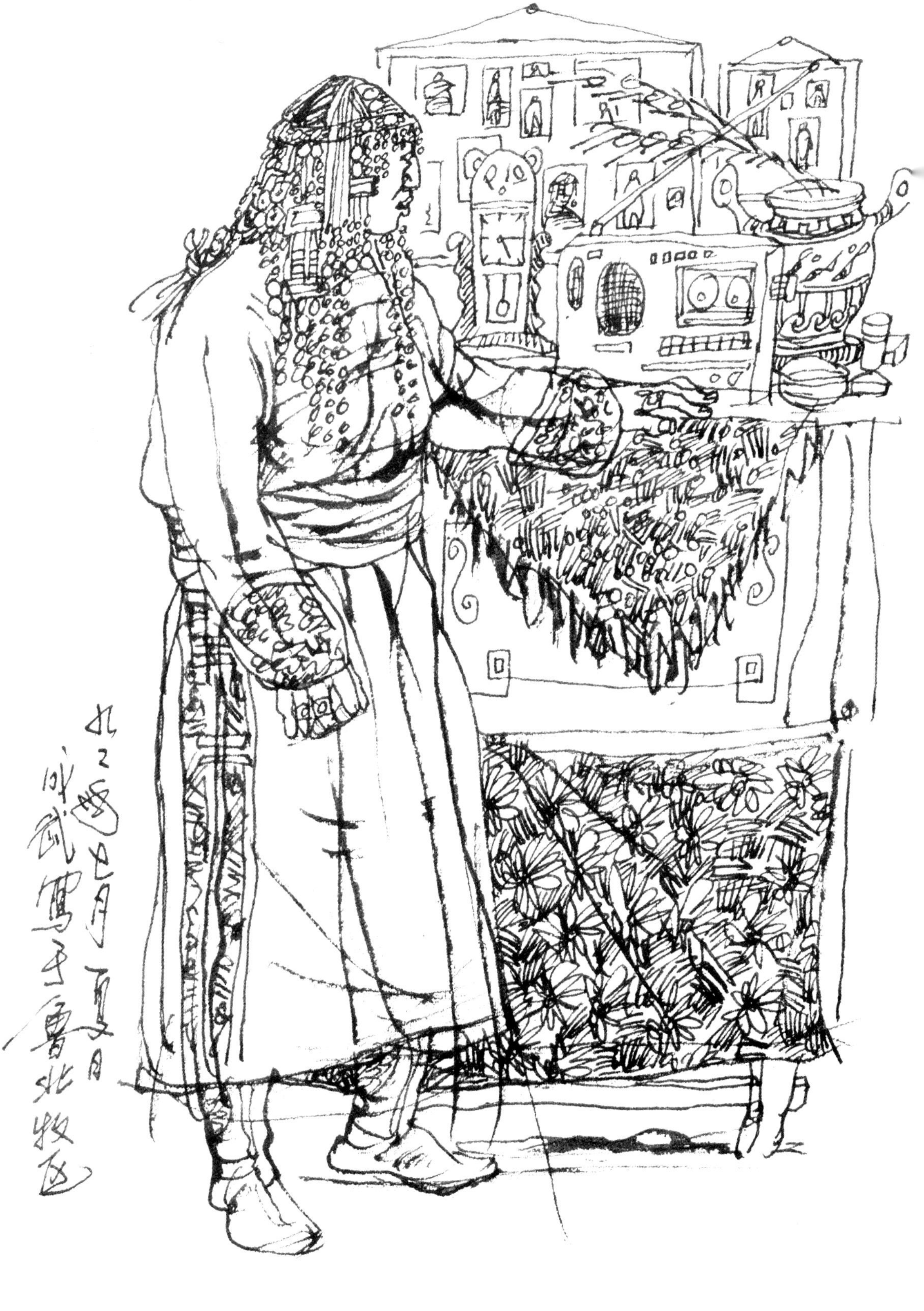

九三年三月
于青海写

春节文艺晚会

自改革开放以来农牧区的经济
加快发展，由其是牧区的小
伙子几乎都换上了摩托车
家家的日子过得红红火火
鲁北牧区

回娘家
寧石寫

街道一角。
九三年元月
十日成都

一眨眼有
十多年
我没有
回老家了
这次回
来真
我都不敢
相信变
化如此
之快
这家的
大米如
小雪
山过
去吃大
米仿佛
吃油一样
如今是
家常饭
除了自己
吃外
其余全
部卖了
每家都有
四五千元的收
入家二万多了收

节
日
晚
市
初
夕
时
分
雪
石
墨
画
于
画
室

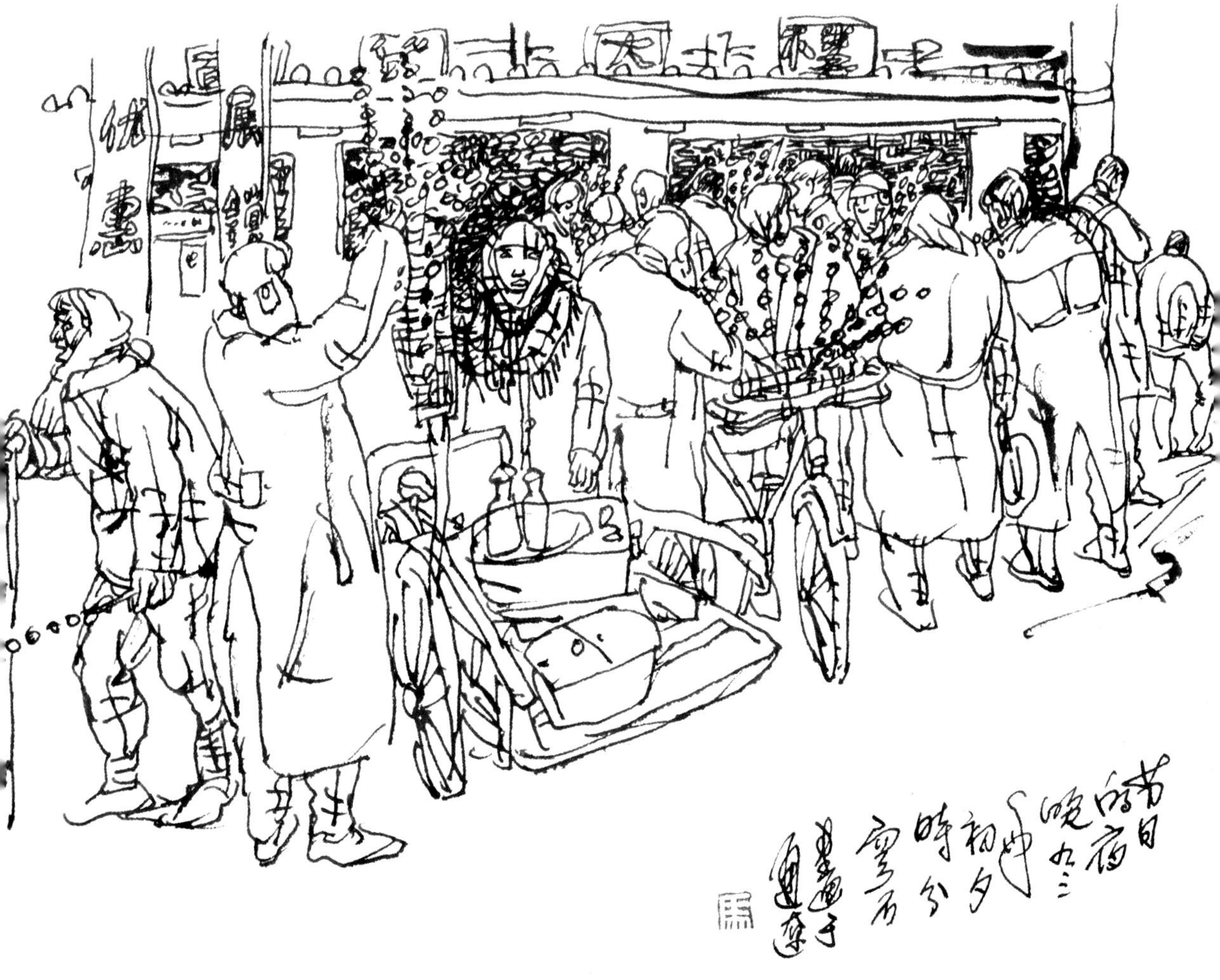

看秧歌写於九三年春节初二
馬

图书在版编目（CIP）数据

马成武速写/马成武绘.—长春：吉林美术出版社，2005.1
（速写训练专集系列）
ISBN 7-5386-1762-0

Ⅰ.马… Ⅱ.马… Ⅲ.速写-作品集-中国-现代
Ⅳ.J224

中国版本图书馆CIP数据核字（2005）第003348号

速写训练专集系列
马成武速写

策划/松果文化工作室
丛书主编/王国安 李恒
著/马成武
责任编辑/张学杰
装帧设计/李恒
技术编辑/赵岫山 郭秋来
出版发行/吉林美术出版社
（长春市人民大街4646号 邮政编码130021）
制版/吉林省江山电脑图文有限公司
印刷/长春新华印刷厂
开本/889mm×1194mm 1/16
印张/7
版次/2005年1月第1版
印次/2005年1月第1次印刷
印数/1-5000册
书号/ISBN7-5386-1762-0/J·1448
定价/99.50元/套（19.90元/册）